la main froide

François Tardif

la main froide

ÉPISODE 10

LES GARDIENS DU TEMPS

Illustrations de Michelle Dubé

Les éditions du petit monde
2695, place des Grives
Laval, Québec
H7L 3W4
514 915-5355
www.leseditionsdupetitmonde.com
info@leseditionsdupetitmonde.com

Direction artistique : François Tardif

Révision linguistique
et correction d'épreuves : Josée Douaire
Conception graphique : Olivier Lasser
Illustrations : Michelle Dubé

Dépôt légal,
Bibliothèque et Archives nationales du Québec, 2009

Catalogage avant publication de Bibliothèque et Archives nationales du Québec et Bibliothèque et Archives Canada

Tardif, François, 1958-

Les gardiens du temps

(Nick la main froide ; épisode 10)
Pour les jeunes de 9 à 12 ans.

ISBN 978-2-923136-15-8

I. Dubé, Michelle, 1983- . II. Titre. III. Collection:
Tardif, François, 1958- . Nick la main froide ; épisode 10.

PS8589.A836G37 2009 jC843'.6 C2009-941345-0
PS9589.A836G37 2009

François Tardif est né le 17 août 1958 à Saint-Méthode au Québec.

Il a étudié en théâtre, en cinéma et en scénarisation. Auteur de la série télévisée *Une faim de loup* diffusée sur Canal famille et sur Canal J en Europe, il en interprète aussi le rôle principal de Simon le loup. Il est aussi l'auteur de nombreuses pièces de théâtre pour enfants, dont *La gourde magique*, *À l'ombre de l'ours*, *Vie de quartier*, *La grande fête du cirque*, *Dernière symphonie sur l'île blanche*, *L'aigle et le chevalier* et *Les contes de la pleine lune*.

Ces dernières années, il a écrit plus de 30 romans jeunesse dont *La dame au miroir*, *Espions jusqu'au bout*, *L'hôtel du chat hurlant*, *Le sentier*, *Numéro 8*, *Les lunettes cassées*, *Des biscuits pour Radisson*, *Pistache à la rescousse*, *Les jumeaux Léa et Léo* et bien d'autres encore.

En préparation; les 4 tomes des romans pour adolescents: *Klara, agente spéciale 007 et demi* dont les deux premiers titres sont *Klara et Lucas, face à face avec l'au-delà* et *Sous les griffes des fantômes*.

Depuis quelques années, il plonge dans l'univers de *Nick la main froide* et prépare déjà l'écriture de ses prochaines aventures, dont *La coupe de cristal*, *Le dôme de San Cristobal* et d'autres histoires qui mèneront Nick et toute sa bande aux quatre coins de la planète. Plus de 36 épisodes sont prévus dans la série *Nick la main froide*.

* * *

Michelle Dubé est née le 5 septembre 1983 à Baie-Comeau.

Elle crée avec Joany Dubé-Leblanc la revue *Yume Dream*, dans laquelle elle publie ses bandes dessinées. Elle travaille aussi comme dessinatrice avec Stéphanie Laflamme Tremblay à une nouvelle BD.

Elle adore le dessin et l'écriture. Cela lui permet de s'évader et d'avoir une bonne excuse pour avoir l'air dans la lune. Durant ses passe-temps, en plus d'adorer la compagnie des animaux, elle dévore les romans en grande quantité. Collaboratrice pour les Éditions du petit monde depuis le tout début de la série *Nick*, elle continue à nous offrir les illustrations de tous les *Nick la main froide*.

Résumé de la série jusqu'ici

Nick a une main froide. Sa tante Vladana, alchimiste et sorcière, fabrique des parfums et des potions qui guérissent les gens. Un jour, elle entreprend la fabrication d'un élixir aux propriétés secrètes. Dans un livre très ancien qu'elle a exhumé d'un tombeau égyptien, elle trouve une liste de 360 ingrédients saugrenus. En réalisant cette potion, un accident se produit et Nick reçoit sur sa main droite un liquide inodore et invisible. Sa main a maintenant des propriétés insoupçonnées que Nick découvre au fil des jours. Son nouveau voisin, Martin, est le premier à comprendre que cette main est dotée de pouvoirs. À partir de ce jour, Nick et Martin deviennent d'inséparables amis et partagent tous leurs secrets. Béatrice Aldroft, une Américaine qui vient vivre au Québec pendant un an, se lie d'amitié avec eux. Ensemble, ils décident de changer le monde.

Dans l'épisode 7, Nick et ses amis ont appris que Vladana est immortelle. Cette révélation change tout ce qu'ils entreprennent. Dans l'épisode 8, Martin, grand joueur de soccer, cherche à faire partie des White Wings, une équipe regroupant les meilleurs joueurs chez les douze ans et moins au pays. Grâce à l'aide de Nick, Vladana et Béatrice, Martin va puiser au plus profond de lui pour vivre cette expérience fantastique.

Dans l'épisode 9, La Neuvième merveille du monde, Nick, Béatrice et Martin se retrouvent en possession d'une sculpture cassée en deux représentant un temple mystérieux et secret. En Égypte, deux jeunes, Mohamed et Mahmoud, trouvent la deuxième partie de ce temple en pensant qu'il s'agit d'un trésor. Ces deux sculptures et leurs énergies précieuses les réunissent et les entrainent tous ensemble bien au-delà du monde connu.

Vous pouvez aussi lire :

Épisode 1 : *Les larmes du sorcier*
Épisode 2 : *Miracles à Saint-Maxime*
Épisode 3 : *Les espions*
Épisode 4 : *La boîte de cristal*
Épisode 5 : *La clef du mystère*
Épisode 6 : *Une sorcière à Salem*
Épisode 7 : *Le secret de Vladana*
Épisode 8 : *Le secret de la pyramide*
Épisode 9 : *La neuvième merveille du monde*

Chapitre 1

Objectif : Égypte

Il est 8 h 15 du soir. Martin vient de terminer sa dernière pratique de football (ou soccer) avant le grand départ pour l'Égypte. Il vient d'être officiellement nommé capitaine des White Wings, une équipe regroupant les dix-sept meilleurs joueurs chez les douze ans et moins au Canada. À 9 h 30 demain matin, son équipe s'envolera pour un stage de deux semaines à Alexandrie en Égypte avant de se diriger vers Paris où se déroulera le *Mundial de football*. L'enjeu: la Coupe de Cristal.

Les parents de Martin, Leïla et Marco, séparés avant même la naissance de leur fils, ont tous les deux décidé de l'y accompagner. Cette superbe aventure semble les avoir rapprochés. Tout cela au grand plaisir de Martin qui découvre que son père est de descendance égyptienne et qu'il a été, il n'y a pas si longtemps, un des meilleurs joueurs de football au monde.

D'ailleurs, durant toute cette semaine de préparation, Marco Allart a épaulé les entraîneurs, monsieur Hamid et Luc Gélinas, dans l'élaboration des stratégies d'équipe visant à gagner le tournoi de Paris. Ils sont très confiants de réussir leur objectif d'autant plus qu'ils iront vivre une préparation d'équipe fort prometteuse pour ne pas dire mystérieuse, en Égypte.

Marc-Olivier Allart, le père de Martin, a toutefois insisté auprès de tous pour demeurer le plus discret possible.

— On dirait qu'il a toujours peur d'être reconnu ! a souvent fait remarquer Martin à ses deux amis Nick et Béatrice durant la semaine.

— C'est vrai, dit Béatrice, il regarde toujours autour de lui !

— Peut-être que tout cela a rapport avec le demi-temple ! a alors rétorqué Nick.

C'est d'ailleurs Marco qui a offert à son fils cette moitié de temple sans lui fournir d'explications. Chaque fois que Martin a essayé de questionner son père à ce sujet, Marco lui a fait signe de se taire. Ce sujet semble même l'effrayer. Marco saurait-il quelque chose qui échappe même à Vladana, la tante de Nick ?

Nick, Martin et Béatrice aimeraient en savoir plus concernant Marco. D'autant plus qu'à l'aide de Vladana, ils ont découvert certaines propriétés extraordinaires de ce demi-temple. En effet, il brille souvent mystérieusement, il indique des directions à suivre et, surtout, conjugué aux pouvoirs du fameux cristal, il permet à ceux qui le manipulent de voir des images de ce qui se passe à des endroits situés très loin du lieu où il se trouve.

Ils ont ainsi pu assister à la quête de trésor de Mohamed et Mahmoud, deux petits Égyptiens qui se sont introduit dans un sarcophage pour s'approprier des trésors dont l'autre partie du demi-temple d'Osiris.

— Si ces deux demi-temples sont réunis, des pouvoirs exceptionnels seront libérés, leur a alors dit Vladana. Des pouvoirs qui vont bien au-delà de tout ce que l'on connaît.

Martin n'arrête pas de fixer la petite sculpture. Depuis que son père la lui a donnée, il ne la quitte pas d'une semelle. Il se sent en sécurité avec ce petit bout de pierre.

Nick et Béatrice souhaitent donc pouvoir accompagner Martin en Égypte afin de retrouver ces deux garçons dont ils ne connaissent que les prénoms. Vladana les a convoqués en cette veille du départ de Martin pour tenter de les aider à en apprendre un peu plus sur ces jeunes Égyptiens. Elle tient aussi à les mettre en garde contre les dangers de posséder un tel objet :

— Ceux qui sont en possession de ce demi-temple seront assurément suivis, voire même poursuivis. Je garde donc le demi-temple chez moi en sécurité car comme vous le savez déjà, ma maison est protégée par le cristal. Va à ta pratique de football Martin et si vous voulez, revenez faire un tour tout de suite après. Je sais que les deux petits Égyptiens, Mohamed et Mahmoud, se trouvent en grand danger. Nous devons leur venir en aide !

— Tu as raison, Vladana, dit Béatrice, mais pour les aider, il faudrait que nous nous rendions tous là-bas, en Égypte.

— Peut-être, dit Vladana. On verra ! Il faudra y amener le demi-temple en secret, dit-elle mystérieuse.

Martin ne dit pas un mot. Il a de la difficulté à se séparer du demi-temple.

Chapitre 2

La veille du grand départ

Leïla, se sentant de plus en plus confiante envers son ex-mari, laisse Marco raccompagner Martin à la maison après son dernier entraînement avant le départ pendant qu'elle s'occupe des préparatifs de voyage. Martin en est ravi car il est décidé à demander à son père une fois pour toute d'où provient ce demi-temple qu'il lui a offert en cadeau.

— Papa, peux-tu nous conduire chez Vladana, Nick, Béatrice et moi ? Elle veut nous parler encore un peu avant de partir.

Marco acquiesce mais semble encore plus préoccupé qu'à l'habitude. En roulant vers la rue de Tourville, il fait de nombreux détours et semble fuir quelqu'un. Finalement, il fait mine de s'arrêter devant la maison de Vladana mais repart plutôt en trombe, brûle des feux rouges et sans même écouter les cris d'effroi des trois enfants, il roule au moins une demi-heure sans dire un mot, les entraînant même hors de la ville. Puis, quand enfin il semble se calmer un peu, il dirige sa petite voiture vers un étroit chemin de terre partiellement caché par les arbres. Marco roule très lentement, regarde constamment dans ses rétroviseurs et lève les yeux vers le ciel afin de scruter les alentours. Puis, il immobilise enfin la voiture et coupe le moteur.

— Papa, vas-tu nous expliquer ce qui se passe ?

— Chut, pas un son, pas un mot, s'il vous plaît !

— Papa ! Tu nous enlèves ?

— Bien sûr que non. Cependant, taisez-vous et ne bougez pas. Si vous le pouvez, ne clignez même pas des yeux !

Dans la voiture règne un lourd silence pendant au moins dix minutes sans que Marco ne fasse un seul mouvement. Nick, Béatrice et Martin n'arrivent presque plus à se voir puisque la noirceur est rapidement tombée en cette soirée du mois d'août. Martin se demande ce que concocte son père.

Depuis une semaine pourtant, même s'il se fait discret, Marco a su se rapprocher de monsieur Hamid, des joueurs, de Martin, Nick et Béatrice et même un peu de Leïla avec laquelle il parle de temps en temps. À chaque entraînement, il a appuyé les instructeurs en partageant avec les joueurs plusieurs trucs du métier de footballeur. Martin est en admiration devant son père qui, même s'il ne le montre pas trop, est d'une habileté incroyable. Avant-hier soir, croyant que personne ne le voyait, Marco s'est installé à l'écart des autres. Il a jonglé au moins cent fois avec non pas un, mais plutôt deux ballons. En n'utilisant que ses pieds ou sa tête, il a réussi à maintenir ses deux ballons dans les airs pendant au moins trois minutes. Quel exploit !

Mais cette fuite mystérieuse met maintenant tout en péril. Pourquoi son père se cache-t-il ainsi ? Et de qui ? Pourquoi se tait-il ? Que se passe-t-il exactement ? Est-ce que l'histoire des pouvoirs entourant le petit temple a un lien avec les événements de ce soir ?

Soudainement, dans le ciel, un bruit d'hélicoptère volant très bas s'approche de la voiture. Dans l'automobile et tout autour, c'est le noir complet. Sur la droite, Nick et ses amis aperçoivent un faisceau lumineux qui balaie les arbres. La lumière passe tout près de l'automobile puis l'hélicoptère s'éloigne.

— Mon père est recherché par la police ! se dit Martin. C'est un criminel ! Voilà la raison pour laquelle il se cache et qu'il ne venait jamais me voir depuis que je suis né, il devait être en prison.

Puis, nourrissant les appréhensions de son fils, Marco démarre sa voiture et, sans allumer ses phares, avance très lentement, à l'aveugle, sur cette toute petite route de terre bordée d'arbres.

— Il agit comme un criminel, pense Martin.

— Attention, il va y avoir de petits secousses ! chuchote soudain Marco.

Les corps des trois amis sautillent au point où leur tête frappe le plafond.

— Mais que se passe-t-il ? Papa, arrête, tu nous fais peur ! s'exclame soudain Martin.

— Chut, dit Marco. Je vais vous expliquer mais je vous demande seulement de ne produire aucun son, par mesure de prudence, pour seulement deux petites minutes encore.

— Non, papa. Moi, je descends ici !

— Martin, tu es dans le bois et ils vont t'attraper en moins de deux minutes. C'est ce qu'ils veulent d'ailleurs !

— Quoi, quelqu'un veut m'attraper ? Moi ? Pourquoi ?

— Chut ! Martin. Si tu peux, donne-moi deux minutes et je vais tout vous expliquer ! Ces gens-là ne rient pas.

— Qui ça ?

Marco garde le silence et recommence à avancer en gardant toujours ses phares éteints.

Nick pose sa main froide sur l'épaule de Martin qui se calme.

L'automobile de Marco s'immobilise soudainement. La porte d'un garage s'ouvre puis la voiture s'engouffre à l'intérieur.

— Martin, Béatrice, Nick, je suis désolé. dit enfin Marco. Je ne pensais jamais qu'ils oseraient mais il faut que je vous dise : vous êtes en grand danger et tout cela est de ma faute.

— En danger ? Mais pourquoi ? demande Martin.

— Tout d'abord, bienvenue chez moi et suivez-moi. Vous allez comprendre par vous-même la raison pour laquelle vous courez un danger.

Marco les guide vers une porte qui les conduit dans un petit couloir qui lui-même mène à un escalier en colimaçon. Le spectacle qui s'offre à leurs yeux en haut de cet escalier est désolant. Ils se retrouvent au milieu d'une grande et superbe pièce vitrée. Une chose importante cloche toutefois : dans la pièce, tout est sans dessus dessous, les meubles sont renversés et éventrés, des toiles sont déchirées, de la vaisselle et des verres sont cassés partout et de grandes inscriptions en lettres hiéroglyphiques tapissent tous les murs. Même sur les carreaux de fenêtres, des mots incompréhensibles sont écrits en lettres noires.

— Que s'est-il passé ici ?

— Ils ont réussi à trouver ma maison. Cela faisait des années qu'ils me cherchaient. Ils m'ont trouvé il y a quelques semaines et ils ne me lâcheront plus.

— Qui vous cherchent comme ça ?

— En fait, ce n'est pas moi qu'ils cherchent, depuis que j'ai trouvé cette demi-sculpture dans la pyramide, des fous furieux sont à ma poursuite !

— Ah ! Oui ? dit Béatrice en se demandant si Mahmoud et Mohamed sont aussi en danger.

— C'est pour cela, Martin, que je me suis éloigné de ta mère et de toi !

— Je ne comprends pas !

— Je sais que c'est vraiment très difficile à comprendre. Pourtant, quand on a touché aux pouvoirs du temple d'Osiris, il n'y a plus rien que l'on puisse faire d'autre que protéger ce pouvoir. Maintenant, je te confie tout cela !

— Quoi ? Mais voyons, dit Martin un peu en panique. Tu parles du temple que cette sculpture nous permettra de trouver ?

— Oui, c'est ça ! Des fous furieux le convoitaient avant nous ! Ceux qui ont saccagé ma maison et qui nous poursuivaient tout à l'heure en hélicoptère te recherchaient, Martin !

— Moi ?

— Martin, quand je t'ai confié le demi-temple, j'avais déjà parlé à Vladana. C'est elle qui m'a convaincu que tes amis et elle seraient les meilleures personnes habilitées à retrouver l'autre demi-temple.

— Tu connais Vladana ? demande Nick.

— Oui, Nick. Je connais ta tante, je suis aussi allé au temple d'Osiris, l'endroit même où le pouvoir de l'immortalité est octroyé !

— Est-ce que tu es aussi immortel ? demande Martin.

— Je pense, oui ! Mais c'est tout nouveau, je vais voir. Mais je dois me faire oublier car trop de fous me guettent.

— Est-ce qu'ils savent que tu es mon père ?

— Non, et je ne veux pas qu'ils l'apprennent. Je dois rester caché.

Dans le ciel, Béatrice aperçoit tout à coup un hélicoptère qui fait tourner son faisceau et qui éclaire directement la maison.

— Ils sont là, ils foncent sur nous. Il faut sortir d'ici, vite ! !

— Ils nous ont repérés. Ils ne nous lâcheront plus, dit Marco devenu soudainement très nerveux. Le groupe est sûrement déjà constitué de beaucoup de lézards autour de la maison. Suivez-moi.

Marco entraîne Nick et Martin dans un superbe escalier en bois construit en demi-cercle qui mène à une mezzanine où sont érigés un foyer, une chambre et un petit passage qui mène vers un autre escalier. Celui-ci les conduit à une passerelle construite dans une autre partie de la maison.

— Je viens tout juste de construire cette partie-là. Vladana m'a d'ailleurs aidé à la terminer. Ici, ils ne peuvent rien contre nous. C'est une rallonge que j'ai construite comme...

Au moment où Marco essaie d'expliquer la forme de cette pièce, Nick et Martin y entrent.

— Une sphère, dit Nick.

— Un énorme ballon de soccer, dit Martin.

— Oui, c'est vrai, dit Marco en riant. J'ai reproduit ici la forme d'une sphère. C'est vrai. Ça ressemble à un ballon et à la boule de feu que l'on retrouve au temple d'Osiris. L'important est que cette sphère soit construite en cristal.

Des hélicoptères survolent la maison de plus en plus près.

— Ne vous inquiétez pas, ici, il n'y a aucun danger. C'est un peu comme si nous étions chez Vladana. Ils ne nous voient pas.

— Tu es certain, papa ? Regarde, l'hélicoptère fonce directement sur nous. Vite, il faut fuir.

— Martin, rassure-toi ! Ils ne nous voient pas.

— Mais pourtant l'hélicoptère s'approche dangereusement, dit Martin.

— Cette nouvelle section de ma maison est invisible à leurs yeux !

L'hélicoptère s'immobilise comme si le pilote venait de percevoir quelque chose.

— Ils nous ont vus, papa. Ils nous regardent !

— Non, c'est impossible, à moins que, à moins que..., dit soudainement Marco un peu paniqué.

— À moins que quoi ?

— À moins que vous transportiez sur vous le demi-temple !

— Non, ne vous inquiétez pas, monsieur Allart, commence Nick.

— Nous l'avons laissé chez Vladana ! complète Béatrice.

Tous les yeux se tournent vers Martin qui ne dit pas un mot.

— Martin ? Ça va ? demande Nick.

— Oui ! Mais, qu'est-ce que ça changerait si le demi-temple sortait de chez Vladana ? demande Martin.

— Ceux qui le convoitent, et il y en a beaucoup, pourraient nous repérer et tout détruire ici pour le récupérer.

Des lumières vertes sortent du sac à dos de Martin et illuminent toute la pièce. La sphère de cristal commence à briller d'un éclat fantastique.

— Martin, qu'as-tu fait ? demande Marco. Tu n'as pas laissé le demi-temple chez Vladana ?

— Non !... Martin est troublé. Il se tient la tête à deux mains. Il n'en a parlé à personne mais il n'arrive plus à se départir de ce demi-temple ; il en rêve depuis quelques jours et se sent tellement attaché à cet objet qu'en partant de chez Vladana un peu plus tôt aujourd'hui, il l'a pris avec lui, sans le dire à quiconque. Dans sa tête, des sons bourdonnent de plus en plus fort.

— Qu'est-ce que tu as ?

— Je ne sais pas, dit Martin. Ça recommence. Ça fait deux ou trois jours que j'entends des mots dans ma tête. Ça cogne, ça bouge et ça se bouscule. Même pendant les entraînements. C'est pour cela que j'ai emporté le demi-temple avec moi !

— C'est Rohman. Il sait jouer dans la tête des gens. Je comprends maintenant comment il nous a détectés. Il sait que nous sommes ici et que le demi-temple y est aussi. Vous aviez donc raison, les gens de l'hélicoptère nous voient. Il va tout faire pour ne pas nous laisser partir. Nous sommes foutus. Les hommes-lézards sont là ! Vous connaissez les hommes-lézards ?

— Oui, dit Nick. Ils sont cruels et prêts à tout pour nous détruire. C'est Rohman qui transforme ses hommes en hommes-lézards en leur injectant du sang de ces petits lézards cruels, les nidortas !

Dennis Rohman, après avoir disparu pendant au moins six mois, reprend du service. C'est lui, le bandit de grand chemin, celui qui court après l'énergie fantastique de la main de Nick et du monde de cristal, qui refait surface. Grand éleveur de Nidortas, ces lézards cruels qui percent même le diamant, il a recommencé à s'exercer et à perfectionner ses expériences auprès des humains. Maintenant, quand il injecte son sérum à ses hommes soldats, ceux-ci se transforment en hommes-lézards cruels et impitoyables. Le but de Rohman et de son armée inhumaine se résume à prendre possession du monde de cristal. Pour ce faire, il sait qu'il doit réunir ces deux demi-temples.

Martin, penaud, sort de son sac à dos le demi-temple qui illumine au même moment tout l'intérieur de la maison de ses rayons verts. L'hélicoptère qui semblait abandonner ses recherches et s'éloigner, s'avance alors davantage de la maison. Nick saisit le demi-temple dans sa main froide. Aussitôt, les lumières vertes s'estompent puis s'éteignent. Martin se sent mieux. L'hélicoptère atterrit tout de même juste à côté de chez Marco.

— Malheureusement, ces hommes t'ont suivi, Martin.

— Désolé, papa. Ce demi-temple me colle à la peau. J'y rêve jour et nuit. Je ne pense qu'à le protéger pourtant.

— Je sais, Martin. Cela fait plusieurs années que je ressens ce sentiment. Il y a tellement de forces qui s'opposent à ce que l'on réunisse ces deux demi-temples. Je ne voulais pas te faire vivre cela à ton tour. Mais tu es le seul à pouvoir le protéger jusqu'en Égypte. Moi, ils ne me laissent plus bouger d'ici. Je leur ai tendu tellement de pièges et de fausses pistes qu'ils n'ont pas réussi à me l'enlever. Il faut que tu retrouves la deuxième moitié du temple miniature. Alors seulement, toutes les routes s'ouvriront pour toi.

— Pour aller où ?

— Au temple d'Osiris ! C'est la raison de votre voyage en Égypte !

— Monsieur Hamid est au courant ?

— Oui, tu dois te rendre là-bas, Martin ! Tu dois percer ce mystère et remporter la Coupe de Cristal que j'ai tenté de remporter toute ma vie !

— La Coupe de Cristal ?

— Oui et il y a seulement toi, Martin, qui peut y accéder. Il y a un mystère derrière cette Coupe de Cristal qu'il faut élucider. Chaque fois que quelqu'un s'approche de cette coupe, il se produit des choses atroces et des guerres éclatent partout sur la planète. Il faut à tout prix faire cesser ce scénario.

Deux autres hélicoptères sont là, à deux mètres de la sphère, faisant rebondir leurs faisceaux sur la sphère de cristal.

— Ils savent que nous sommes là mais ils ne peuvent pas vraiment nous voir ou nous atteindre; ce cristal protège de tout. Ça m'a pris dix ans à construire cette sphère et à aller puiser à une source magnifique de petits fragments de cristal pour y réussir. Je viens enfin de terminer comme je vous disais. Maintenant, il est infaillible!

Au milieu du boisé, entouré maintenant de plus d'une centaine d'hommes-lézards armés et avides de sang humain, Rohman s'apprête à attaquer. Il croit pouvoir trouver une faille dans le cristal. Devant lui, il n'arrive à percevoir qu'une petite maisonnette de bois mais, ayant été plus souvent qu'à son tour en contact avec des phénomènes étranges, il sent qu'il touche au but. Il sait par intuition que Marc-Olivier se cache ici quelque part dans un repaire secret que ni lui ni aucun instrument de détection n'arrivent à déceler. Bientôt Rohman en aura le cœur net. Ces hommes-lézards peuvent percer certaines murailles de cristal s'ils acceptent de devenir des kamikazes. Mais ont-ils vraiment le choix? Rohman dirige leur cerveau et a transformé leur vie en état d'esclavage. La guerre est maintenant déclarée.

Rohman effectue des signes précis et aussitôt, ses hommes-lézards font éclater des dizaines d'explosions autour de la maison. La forêt aussi est embrasée. La sphère semble trembler à son tour.

— Le cristal va tenir, dit Marco, il va tenir !

Soudain, des dizaines, voire même des centaines d'hommes-lézards s'agrippent à l'extérieur de la sphère et frappent si fort et font tant de bruit qu'ils parviennent à couvrir le son de la musique.

— Papa, que se passe-t-il ?

— Je ne comprends pas. En principe, personne ne peut voir ce cristal. Ma sphère devrait être invisible aux yeux, humains !

— Ce ne sont pas des humains, ce sont des hommes-lézards. Je crois qu'ils perçoivent le cristal ! dit Nick.

Rapidement et avec une force inouïe, les hommes-lézards commencent à s'agripper tout autour de la sphère puis à se balancer dans le vide tantôt d'un côté, tantôt de l'autre.

Les hommes-lézards se multiplient, s'appuient et dansent de plus belle sur les rebords de la sphère qui commence à bouger de gauche à droite. En regardant au-dessus de leur tête, ils sont surpris de constater ce qui s'est passé en seulement quelques secondes. Toute la surface extérieure de la sphère de cristal est recouverte d'hommes-lézards. Il n'y a plus moyen de distinguer une seule étoile. Toutes les nouvelles créatures qui se sont jointes aux autres participent à la danse macabre qu'ils effectuent maintenant en parfaite synchronisation.

Nick, Béatrice, Martin et Marco s'accrochent les uns aux autres le plus longtemps possible mais le mouvement de tangage provoqué par la danse des cruels hommes-lézards les propulsent aléatoirement de tous les côtés de cette immense pièce.

— Martin, crie Marco, ne lâche pas le demi-temple, ne le lâche jamais. Martin ! ne cesse-t-il de crier.

Justement, Martin, de plus en plus attaché à cet objet, le serre si fort qu'on croirait qu'il va le casser. Martin se rend compte que le demi-temple le protège. Chaque fois que la sphère oscille et le projette sur ses murs de cristal, il a le réflexe de se protéger avec la petite sculpture. À sa grande surprise, le demi-temple émet alors de petits sons et lance des lumières vertes qui ont pour effet de le ralentir dans sa chute et d'amortir le choc comme un ressort. Ce demi-temple fait presque partie de lui et obéit à ses besoins. Mystère !

Nick et Béatrice par contre se frappent partout et se seraient blessés n'eut été de l'habileté exceptionnelle de Marco qui réussit à vaincre la gravité pour bondir à leur secours. Chaque fois qu'il le peut, il les protège d'un choc contre le cristal en se plaçant entre la sphère qui continue à osciller et leurs corps qui virevoltent.

Les hommes-lézards continuent avec acharnement leur danse provoquant immanquablement le décrochage de la sphère qui roule alors vers le boisé. Alors que Martin est toujours protégé par le demi-temple, Nick et Béatrice se font de plus en plus mal. Marco en est à ses dernières tentatives pour les sauver car lui-même commence à perdre le sens des directions. Il se cogne si souvent sur le cristal qu'il ne pourra plus continuer comme cela très longtemps, il s'évanouira très bientôt. Les hommes-lézards accélèrent encore leurs mouvements et font rouler la sphère vers les hélicoptères. Dans leur chute, toutefois, Marco réussit à s'approcher de Martin qui lui attrape la main. Aussitôt, Marco peut aussi profiter de la protection du demi-temple. Marco réussit rapidement à rattraper Béatrice et Nick. Quand ce petit groupe parvient à toucher tous ensemble au demi-temple, plus rien ne les atteint. Cette sculpture est vraiment dotée de pouvoirs étranges et protecteurs pour qui la possède. Tout tourne autour; tout virevolte. La sphère roule ainsi jusque dans un filet installé au centre des hélicoptères. Tout s'immobilise; la sphère de Marco se retrouve alors complètement piégé.

— Ils savent qu'ils ne peuvent pas détruire le cristal alors ils nous enlèvent, dit Marco en ne sachant plus que faire. Les hommes-lézards peuvent savoir où se trouvent le cristal, ils l'ont repéré. Ils m'ont eu. Ils auront donc le demi-temple.

— Non ! dit Vladana qui arrive au moment où Rohman et ses lézards attachent la sphère aux filets.

— Vladana ? demande Nick, comment es-tu entrée ?

— Venez ! Dans tout cristal, il y a une entrée et une sortie. Suffit de faire face aux gardiens. Je viens tout juste de me rendre compte que Martin avait emporté avec lui le demi-temple. Laissez-moi faire !

Vladana leur demande plutôt de la suivre. La sphère est maintenant immobilisée dans le grand filet qui lui-même est attaché à un hélicoptère. Rohman approche et colle son visage sur le cristal. Il essaie de voir à l'intérieur. Il frappe de toutes ses forces avec ses poings et crie très fort :

— Je sais que vous êtes là ! Marc-Olivier, ton fils est piégé comme un rat. Tu n'as pas honte d'être aussi lâche, tu as peur de moi et tu lui refiles le précieux objet ? De toute façon, tu ne pourras plus m'échapper. Le cristal ne peut rien contre les lézards et tu le sais mieux que quiconque, n'est-ce pas ? Hé, hé, hé !

Rohman rit alors si fortement et hargneusement que tout le monde en tremble.

— Marc-Olivier, crie encore Rohman en frappant de plus belle, je t'emporte avec ces enfants à la gomme. Tu peux me donner tout de suite cette petite sculpture qui te brûlait les doigts ou bien, tu peux m'accompagner et crever comme le rat que tu es ! Ça te va ? Ah ! Oui, j'oubliais. Si tu me donnes l'objet tout de suite, je vous libère tous mais sinon, je vous fais fondre dans les fours que j'ai construits sous la montagne. J'ai trouvé la solution ultime, dit Rohman, le cristal fond, IL FOND, JE PEUX LE FAIRE FONDRE ! HÉ, HÉ, HÉ ! J'ai construit, grâce à toi et à tout ce que tu as découvert dans le désert en Égypte, les sources même du feu solaire. Alors, tu souhaites fondre avec ton cristal où tu ouvres tout de suite cette petite sphère de malheur ?

Marco ne bouge pas. Il ne sait plus que faire.

— Marc-Olivier Allart, tu vas brûler en enfer et tes petits jeunes fous aussi.

Rohman frappe de toutes ses forces avec ses poings sur le cristal, se blesse et commence à crier de douleur. Quand il se ressaisit, il ordonne :

— Allez-vous en ! Bande de lézards ! Quittez la sphère, vite. Je n'ai plus besoin de vous !

Armé d'une torche, il brûle les pattes des hommes-lézards qui hurlent de douleur. Puis, il les jette au bas de la sphère.

— Allez, on décolle vers mon grand four, dit Rohman. On fera fondre tout cela. Marco et compagnie aussi !

Nick se retourne vers Vladana qui lui chuchote :

— Nick, tes amis doivent toucher ta main sans la lâcher, jamais.

— Est-ce que Rohman a raison ? Le cristal peut fondre ?

— Oui, mais cela prend une énergie aussi forte que celle qui vient du soleil ! dit-elle tout bas à Nick.

Vladana sort de sa poche une petite salamandre qui lui lèche la main.

— Nous ne pourrons pas sortir d'ici ? demande Nick.

— Il y a un passage. Le passage que je viens de prendre mais ce passage n'est pas fait pour toi, ni pour tes amis. Même Marco ne l'a emprunté qu'une fois. Ce passage vous est interdit mais je choisis de briser la loi, pour vous sauver, je ferai face aux gardiens. Je brise la loi !

— Mais est-ce que tu risques...

— la mort ? oui !

— Mais c'est impossible puisque tu es immortelle !

— Avant, il y a très longtemps, j'étais mortelle ; les gardiens du temps pourraient me le faire payer.

L'hélicoptère commence à s'élever dans les airs. La sphère bouge et commence à se soulever un peu au fond de l'immense filet qui l'emprisonne. Nick se retourne vers Marco, Martin et Béatrice :

— Tenez ma main et fermez les yeux. Je vous en prie, ne les ouvrez jamais avant que je ne vous le dise.

Vladana tient la petite salamandre dans sa main et lui flatte le museau. Elle la regarde droit dans les yeux et lui parle très doucement dans une langue inconnue. Ses mots sont comme un tourbillon qui grandit et grossit. Nick ferme les yeux et s'assure que ses amis et Marco fassent de même.

Vladana, un peu nerveuse, dépose la salamandre contre le cristal puis se retourne vers Nick et le prend doucement dans ses bras. Nick se sent si léger qu'il flotte dans les airs. Les doigts de sa main droite sont tenus serrés par les mains de Marco, Béatrice et Martin qui se laissent bercer par un mouvement en spirale qui les étourdit complètement.

La salamandre libère au bout de son museau une sorte de larme ou de goutte d'eau qu'elle a bâtie durant toute sa vie. Cette goutte d'eau salée de larme de salamandre peu ordinaire a la propriété de métamorphoser le cristal, de le rendre liquide puis de le fusionner. Au creux de ses atomes, cette larme dégage la puissance et une énergie aussi forte que celle qui se dégage du soleil.

Vladana, en voyant le cristal fondre et tourbillonner, sait qu'à un instant très précis, une brèche s'ouvrira sur le monde qui vit de l'autre côté du cristal. Elle a acquis au fil du temps une expertise hors du commun pour percevoir cet instant unique où un passage s'ouvre.

Le cristal entre en fusion, il se transforme en vapeur puis, libère des couleurs par millions. Au milieu du rouge et du violet, un tout petit tunnel se montre le bout du nez, un tunnel qui ressemble justement au museau rond et lisse de la salamandre. C'est alors que Vladana pourra plonger sans hésiter vers ce lieu magnifique. Mais pour une très rare fois, elle ne sera pas seule pour l'emprunter et cela lui est interdit.

— Nick, tiens bien les autres et suis-moi. N'aie pas peur mais n'ouvre surtout pas les yeux !

Vladana tire sur Nick qui tient très fermement Marco, Martin et Béatrice. Ils plongent derrière Vladana et glissent pendant au moins cinq minutes dans un tunnel visqueux et puant. Tout va tellement vite. Martin n'a surtout pas oublié son demi-temple ; il le serre très fort contre lui.

La sphère s'envole, portée par un hélicoptère piloté par Rohman lui-même. Il croit pouvoir enfin élucider le mystère du cristal et s'approprier toute son énergie et son monde infini.

CHAPITRE 3

Au-delà du cristal

La chute vertigineuse de Nick et de ses amis s'accélère puis en un instant incroyablement court, ils se retrouvent tous dans une grotte. Vladana laisse la main de Nick qui ouvre enfin les yeux. Martin, Béatrice et Marco les ouvrent à leur tour et sont surpris de constater qu'ils se trouvent dans cette immense grotte sombre. Des torches sont accrochées aux murs de pierre. Devant eux, se présentent deux passages et donc, deux ouvertures. Vladana est très nerveuse. Elle s'engage dans un passage puis revient. Elle fait deux pas dans l'autre direction puis elle rejoint Nick et sa bande.

— Vladana, ça va? demande Nick. Où sommes-nous?

— Je ne sais pas ! Rien ne se passe comme d'habitude. Je ne devrais pas vous avoir amenés ici, mais avais-je le choix ? Sinon, vous seriez morts et toute tentative de paix aussi. Rohman ne doit pas avoir en sa possession ce demi-temple ni la Coupe de Cristal. Il connaît tout le ravage qu'il peut faire s'il détient cette coupe fantastique.

Un homme immense à tête de cheval saute d'une ouverture que personne n'avait vue au-dessus du passage de gauche et tente de frapper Vladana avec un long bâton recouvert d'or. Vladana, très agile, évite le coup et se précipite vers Nick qu'elle entraîne dans le passage de droite. Tous la suivent.

S'ensuit une course effrénée à travers des tunnels sombres où ils réussissent à éviter au moins quinze attaques du même genre.

Dans une grotte plus éclairée, Vladana s'arrête tout à coup puis leur demande de s'allonger par terre. Elle pose l'oreille sur le sol avant de relever la tête en leur faisant remarquer :

— Ils se sont tous enfuis. Ce ne représentait qu'un avertissement. S'ils en avaient décidé ainsi, nous serions morts !

— Qu'est-ce qui se passe, ici ? demande Nick.

— Où sommes-nous ? demande Martin.

— Est-ce qu'ils tentent vraiment de nous attraper ? Est-ce qu'on peut sortir d'ici ? s'interroge aussi Béatrice.

Vladana leur fait signe de s'approcher très près d'elle. Quand ils se collent la tête les uns sur les autres, elle leur chuchote :

— Soyez très prudents car des yeux nous épient tout autour. Ne regardez pas. Si vous les voyez, si vous les confrontez du regard, ils comprendront que vous les défiez. En un éclair, ils arriveront par centaines ou par milliers. Ils vous retiendront, puis vous enfonceront très profondément au creux de la Terre. Nous ne sommes pas dans un monde habituel. Nous nous trouvons au milieu d'une jungle qui protège le monde de cristal. Ne regardez nulle part et suivez-moi !

Martin ne peut s'empêcher de regarder autour d'eux. Aussitôt, trois petites bestioles d'une hauteur d'un mètre de haut, vêtues d'habits militaires, se précipitent sur lui et, sans autre forme de discussion, lui attachent des menottes aux poignets et l'entraînent vers un couloir qui s'ouvre dans un mur de pierre.

Vladana leur bloque l'accès et tente de leur sourire.

Une des petites bestioles la regarde droit dans les yeux puis se met à la sentir de très près.

— Qui êtes-vous ? lui demandent-ils.

— Vladana Loutchinski !

— Je ne vous connais pas. De quel droit empruntez-vous ce passage ?

— J'ai tous les permis de transport depuis au moins mille ans !

La petite bestiole saute dans les airs, exécute trois vrilles sur elle-même et entre dans une colère terrible.

— Ne prononcez jamais ce mot ici !

— Le mot *mille* ?

— Non, l'autre ! dit une autre des bestioles qui craint visiblement les mots que Vladana s'apprête à prononcer.

— Ah ! Les mots *ans* et *années*, c'est ça ? dit Vladana, espiègle comme on ne l'avait jamais vue. Elle sent qu'elle vient de trouver le point faible du militaire en question.

— Chut, dit l'autre bestiole en état de panique. Ne prononcez aucun mot de cet ordre, sinon, sinon...

— De quels mots voulez-vous parler ?

— Eh bien, les mots *année*, *heure*, *minute*, *jour*, *semaine* ! dit naïvement une des deux bestioles alors que leur chef les entend.

— Quoi ! Qui a dit cela ?

Le chef des petites bestioles entre dans une colère qui s'apparente à la folie. La bête sautille sur place, ses yeux deviennent rouges, ses oreilles s'allongent et bleuissent. Elle oublie de retenir Martin, empoigne ses deux serviteurs et les entraînent dans une petite ouverture entre deux roches. Vladana, en souriant, fait signe à ses amis de la suivre discrètement. Le chef des petites bestioles militaires marche à vive allure, tenant toujours fermement ses deux collaborateurs. Le tunnel qui s'ouvre dans la pierre est à peine plus grand que sa tête, si bien que Vladana et ses amis doivent ramper pour les suivre. Martin, portant toujours les menottes aux mains, est aidé de son père. Les bestioles grognent et hurlent de douleur. La bestiole en chef frappe les pierres, virevolte sans arrêt et semble vouloir tout détruire sur son passage. Vladana ne fait aucun cas de tout ce cirque et semble plutôt avoir retrouvé sa bonne humeur.

— Suivez-moi, ils ne sont pas dangereux. Il faut les suivre car ils représentent nos guides. Ici, aucune confrontation n'est réelle. Ils feignent d'être fâchés car ils ont le devoir de nous faire fuir. Cependant, si on ne les confronte pas, ils vont nous conduire à bon port !

— Mais comment sais-tu tout cela, Vladana ? demande Béatrice.

— Je suis mon intuition, toujours !

Les trois bestioles débouchent sur une grande pièce entièrement construite de marbre où scintillent des milliers de lumières qui flottent au gré du vent. Le chef des militaires se retourne et laisse tomber ses deux acolytes qui se prosternent devant Vladana. Le chef retire son costume de général d'armée et porte désormais un habit digne d'un soir de gala. Ses deux horribles compagnons font de même. Ils se retournent vers Vladana et lui exécutent une magnifique révérence :

— Madame Vladana Loutchinski, vous avez traversé la première étape du transport spécial que vous voulez effectuer ! Nous avons maintenant la conviction que vous êtes vraiment celle que vous annonciez. Tous les tests de vérification ont été concluants. Vous êtes vraiment éternelle et pouvez donc voyager ici.

Le chef lui sourit très gentiment mais il s'approche tout de même de Vladana pour lui glisser à l'oreille :

— Mais ne prononcez plus ces mots que je refuse d'entendre, d'accord ? Au fait, qui sont ces gens ? Habituellement, vous voyagez seule et c'est la raison pour laquelle nous vous avons interceptés. Vos amis ont l'air bien suspect ! Vous ne nous amenez pas des mortels, j'espère ?

— Quel est votre nom ? demande Vladana sans répondre aux questions de la bestiole.

— Jarka !

— Jarka, je n'ai pas le TEMPS de vous dire ce qui se passe mais si vous prenez plus qu'une MINUTE avant de nous conduire à vos supérieurs, je vous offre une HORLOGE en cadeau. Est-ce clair ?

Les yeux de Jarka sortent de leur orbite, tournoient sur eux-mêmes plusieurs fois et ses lèvres se serrent très fortement l'une contre l'autre car il se retient pour ne pas crier.

— Vladana, c'est toi ?

Une voix féminine et très douce résonne dans l'immense pièce. Vladana et ses amis regardent tout autour mais ne voient rien. Pourtant, des dizaines et des dizaines de petites bestioles identiques à celle qui se prend pour un chef viennent secourir Jarka. Par solidarité sans doute, ils serrent les lèvres et leurs yeux sortent de leur orbite. Ils regardent tous Vladana et sa suite avec un dégoût évident.

— Jarka ! Un peu de calme, s'il te plaît, dit encore la voix que Vladana reconnaît.

Une vieille dame habillée de blanc s'avance. Des dizaines de petites bestioles tiennent la traîne de sa robe comme ils le feraient pour une reine. D'autres agitent de longues feuilles d'arbres pour aérer son visage. D'autres bestioles encore se promènent avec des plats de victuailles, des parfums, des breuvages. La vieille dame sourit et s'approche délicatement vers Vladana.

— Lydonie ! C'est toi ? dit Vladana. Tu habites ici ? (Lydonie est apparue pour la première fois dans l'épisode 4 de *Nick la main froide* intitulé *La boîte de cristal*).

Vladana serre la dame tendrement dans ses bras. Lydonie s'approche de Nick.

— Bonjour Nick, Béatrice et Martin !

— Bonjour, Madame Lydonie ! lui répondent-ils en la serrant très fort dans leurs bras.

Lydonie, voyant que Martin porte toujours des menottes aux poignets, les lui défait.

— Merci, madame Lydonie. Vous vivez de ce côté-ci du monde de cristal ?

— Oui !

— Je vous présente mon père, Marc-Olivier Allart !

— Enchantée. J'ai beaucoup entendu parler de vous.

— Bonjour, madame !

— Avant de discuter plus à fond, suivez-moi. Plusieurs créatures vont vouloir vous attirer vers eux et cela est normal. Ils savent que vous venez d'un autre monde. Votre présence ici les intrigue déjà. Venez, je vous emmène chez moi où nous serons en paix pour un temps mais très bientôt, vous devrez faire face à... Vladana, viens avec moi, il faut que je te parle.

Vladana ne se sent pas tout à fait bien. Elle est consciente qu'elle a entrainé des mortels dans le monde de cristal, là où le temps n'existe plus. Pour sauver la vie de ses amis, elle est peut-être allée trop loin. Lydonie marche sur un petit sentier qui semble mener vers des lieux de plus en plus sombres. Marchant en file indienne, Nick, Béatrice, Martin et Marco ne se sentent pas rassurés du tout. Des milliers de visages, de bestioles, de petits hommes tentent de leur parler, leur accrochent les pieds ou leur murmurent de beaux mots aux oreilles. Ils sont tentés de les écouter mais la peur de se perdre ici les empêche de s'occuper de ce qui se passe autour d'eux. De plus, ils voient bien que Lydonie ne s'occupe pas d'eux. Elle marche plutôt avec Vladana d'un pas très rapide.

— Vladana, je sais que tu n'as peut-être pas eu le choix d'agir ainsi mais tu t'attires les foudres de tous les peuples qui vivent ici !

— Je suis tellement désolée !

— Je sais. Je sais et je comprends que tu voulais les sauver d'une mort certaine. Le problème est qu'ils devront faire face aux gardiens du temps.

— Non !

— Oui, je le crains ! Un lézard a réussi à traverser avec vous de ce côté. Les gardiens croiront que vous êtes ses complices.

— Rohman est entré ici ?

— Non, je ne crois pas, un homme-lézard seulement, que nous retrouverons. Mais le danger est là ! Je vais vous protéger si je le peux mais tes amis seront convoqués sous peu !

— Nous allons les préparer !

— Je ne crois pas qu'on puisse vraiment se préparer à une telle épreuve !

Lydonie laisse soudain tomber son ton grave et retrouve un sourire radieux. Elle se retourne vers Nick et sa bande pour leur dire :

— Mes amis, suivez-moi et vous ne vivrez plus dans la noirceur, entourés de ces bestioles. Bienvenue dans mon paradis !

Lydonie les invite à passer, tête première, au travers d'un petit trou noir.

De l'autre côté, ils se retrouvent au centre d'une clairière splendide bordée d'arbres. Un sentier de pierres les mène vers une magnifique et gigantesque maison construite en plusieurs paliers. Tout semble construit en verre ou en cristal. Des centaines de fontaines et de petits lacs bordent le sentier et entourent la maison.

Plus ils avancent vers la maison et plus ils rencontrent des gens vêtus de blanc qui les saluent au passage. Vladana se sent un peu nerveuse à l'idée de leur annoncer qu'ils devront tôt ou tard affronter les gardiens du temps. Auparavant, elle tient à leur laisser vivre la vie paradisiaque du monde de Lydonie.

Chapitre 4

L'alerte générale

À l'aéroport, Leïla est assise sur un banc, les deux mains sur la figure, essuyant sans arrêt les flots de larmes qu'elle n'arrive pas à contrôler.

Monsieur Hamid vient s'asseoir près d'elle :

— Madame Allart, je viens de rappeler les policiers et une alerte générale a maintenant été déclenchée. Ils vont tout faire pour retrouver Martin.

— Non monsieur Hamid, ils ne le retrouveront pas. Tout ce qui m'est arrivé en Égypte recommence. Tout recommence toujours ! Dans ces poursuites vers la Coupe de Cristal, personne n'en sort jamais vraiment heureux et gagnant, vous le savez bien.

Depuis plusieurs années, une légende s'est formée autour de la Coupe de Cristal, ce trophée suprême, remis aux vainqueurs de la coupe du monde de football. Toutefois, semble-t-il, chaque équipe ayant gagné ce trophée a ensuite été entraînée dans des malheurs sans nom. La légende dit que la Coupe de Cristal ne doit être touchée que par une personne au cœur pur sinon, elle réveille le pire chez son vainqueur. Certains racontent même que l'orgueil et la vanité qu'elle réveille chez les vainqueurs les rendent responsables de tous leurs malheurs. Des livres entiers ont été écrits concernant les événements survenus dans la vie de ces gagnants. Tous leurs malheurs pourraient remplir plus de mille livres. Pour faire taire la légende qui devenait de plus en plus persistante, les hauts responsables ont décidé de changer les destinataires de la coupe remise à la meilleure équipe du monde. Ils ont décidé de remettre cette coupe aux jeunes joueurs âgés de douze ans et moins et non plus aux adultes. Ils croient ainsi que cette guigne ne s'attaquera pas aux enfants qui, ils l'espèrent, ont toujours le cœur pur, la vanité ne les atteignant pas encore. Leïla sait tout cela mieux que quiconque puisqu'elle a suivi son ex-mari vers la conquête de cette coupe fatidique.

— Je n'aime vraiment pas ça, monsieur Hamid. Encore cette Coupe de Cristal qui fait des ravages ? Pourtant, Martin ne l'a pas encore gagnée ! Quelqu'un l'aurait kidnappé ? Son père ?

— Madame Allart, lui dit Lucia en essayant de la calmer, peut-être pas. Tout ne recommence pas toujours. Peut-être qu'il y a une explication toute simple ! Par exemple, votre ex-mari a ramené votre fils vers votre maison, il a décidé de l'inviter à partager une crème glacée et sa voiture est tombée en panne.

— Ils ne m'appellent pas. L'avion part dans quoi, une heure ?

— Oui, reprend monsieur Hamid, la direction de la compagnie d'aviation veut tout faire pour permettre à Martin de prendre ce vol avec nous, ne vous inquiétez pas. Les dirigeants ne peuvent pas en faire plus mais ils vont retarder le départ autant que possible. Pour ma part, j'ai informé tout le monde car si notre capitaine n'est pas au rendez-vous, nous ne partons pas. Les White Wings sont solidaires de chacun des membres de l'équipe.

— Merci, dit Leïla, émue. J'ai vraiment peur qu'il soit arrivé quelque chose à Martin. Il avait tellement hâte de faire ce voyage et de partir avec vous. Pour une fois, il voulait même que je l'accompagne. Hier soir, je suis retournée au terrain, je me suis rendue chez Nick, j'ai téléphoné au père de Béatrice et nous sommes tous allés chez Vladana, là où la bande se réunit toujours. Personne n'y était, aucun indice, aucune trace, je me suis résignée et j'ai téléphoné aux autorités ; les recherches intensives ont commencé hier soir à 11 h 45.

— Nous avons appelé dans tous les hôpitaux, rien à signaler ! dit un enquêteur qui reste en permanence tout près de Leïla pour l'informer des développements de cette affaire.

Les policiers ont d'ailleurs tout fait pour suivre certains indices mais rien n'indique l'endroit où la voiture de Marco serait allée. Cela porte à croire, aux dires des policiers, qu'il conduisait une voiture fantôme.

— Chez Marco, peut-être ? demande soudain Leïla, vous avez retrouvé sa maison ?

— Vous avez son adresse ?

— Non, il ne me dit jamais où il habite ! Il habite peut-être à l'hôtel !

— Nous avons cherché partout. Nous n'avons trouvé aucune trace d'un Marc-Olivier Allart ni dans la région, ni au Québec, ni dans aucun aéroport, mentionne l'enquêteur. J'ai même donné des ordres pour que l'on cherche sous le nom de Baktoush Amar, son nom égyptien, comme vous me l'avez dit. Rien ! Ils se sont évaporés !

— Mais qu'est-ce qui se passe ?

— Tout ce que nous savons est que de nombreuses voitures rôdaient autour de votre fils et peut-être de son père depuis quelque temps, déjà !

— Quoi ? demande Leïla surprise.

— Notre enquête nous a permis de savoir que des étrangers s'intéressaient grandement aux exploits de votre fils, personne ne connaissait ces gens un peu mystérieux qui se relayaient pour l'épier. Cela a peut-être rapport avec cette Coupe de Cristal ; il paraît que tout le monde veut toucher à cette coupe. Dans notre enquête, on nous dit que votre fils et son équipe ont de bonnes chances de gagner cette coupe. Nous avons déduit cela après tous les interrogatoires que nous avons effectués. Nous arrivons donc à reconstituer un peu les événements de la dernière semaine et nous présumons que des voitures et même un hélicoptère, selon certains témoignages et recoupements, auraient suivi les enfants et le père de Martin à leur départ du terrain de soccer !

— Vous voulez dire que Martin aurait été enlevé par des bandits ? demande Leïla en état de panique.

— Rien n'est prouvé, tout cela n'est que spéculations. Nous avons plus de cent hommes qui travaillent sur le dossier. Le père de Béatrice, monsieur Aldroft, député aux États-Unis, a tenu à ce que tous nos effectifs soient affectés sur ce cas. Nous allons dénouer l'impasse.

Les parents de Nick ainsi que le père de Béatrice arrivent à l'aéroport accompagnés de plusieurs policiers. Eux non plus ne savent pas où se trouvent Béatrice et Nick ; ils sont très inquiets. Ils demeurent sans nouvelles des deux enfants disparus depuis la fin du dernier entraînement des White Wings, la veille au soir. L'aéroport est en effervescence ; les policiers interrogent tous les joueurs et les parents qui étaient présents à cet entraînement. Tout le monde essaie de se rappeler la dernière fois qu'ils les ont vus mais aucuns nouveaux indices ne permettent de faire avancer l'enquête.

Leïla, trente minutes avant le départ du vol AS 1737 en direction du Caire en Égypte, est dans un tel état de choc qu'elle a besoin des secours d'ambulanciers pour arriver à respirer normalement.

L'enquêteur s'approche de monsieur Hamid et lui fait part de deux pistes de solutions :

— Nous espérons qu'ils ont réussi à fuir tout danger et qu'ils reviendront d'eux-mêmes à l'aéroport avant le départ. Ce serait la voie la plus simple. D'autre part, une piste semble vouloir nous mener vers un lieu assez peu fréquenté, au milieu de marécages, hors de l'île de Montréal. On vient de me dire à l'instant que de la fumée suspecte a été aperçue dans le ciel au-dessus des arbres en même temps que la première lueur du jour. Nos hommes vont en savoir plus d'ici peu.

— Il faut les retrouver !

Chapitre 5

Accalmie au palais

Le soleil se lève sur le palais de Lydonie. Martin, Nick et Béatrice dégustent un déjeuner de rêve. Des cuisiniers leur préparent les plats qu'ils désirent et des fruits leur sont servis sur des plateaux magnifiques. Depuis qu'ils ont suivi Lydonie, tous leurs soucis se sont envolés ; plus rien ne compte que d'admirer les alentours.

— Nick, dit Martin, tu as vu comme c'est grand derrière le palais ?

— Il y a des arbres à perte de vue !

— Des terrains de soccer aussi ! dit Martin.

— Des terrains de tennis, des fontaines, et des jardins fleuris splendides ; regardez derrière nous ! dit Béatrice qui s'étire et grimpe sur une chaise pour admirer le paysage extraordinaire qui se profile à l'horizon ! Regardez, continue-t-elle, le soleil se lève là-bas, il est déjà brillant !

— Quoi, dit Martin, le soleil se lève ? Mais le départ de l'avion pour Le Caire est à 9 h 30. Quelle heure est-il ?

Nick regarde sur sa montre puis commence à la secouer.

— Quoi ? Mais je ne comprends pas. Ma montre indique 9 h 35 du soir. Regardez, elle s'est arrêtée à 21 h 35 précisément, même l'aiguille des secondes ne bouge plus ; tout est figé.

Béatrice regarde aussi sur son cellulaire et rien ne fonctionne.

— C'est étrange, dit Béatrice, j'ai l'impression que cela fait une seule seconde que nous sommes arrivés ici pourtant, nous avons visité le palais, Lydonie nous a montré nos chambres, nous nous sommes baignés dans l'immense piscine, nous venons de déjeuner, le soleil se lève, qu'est-ce qui se passe ici ?

Marc-Olivier approche justement du petit groupe, accompagné de Vladana. Il semble préoccupé.

— Vladana, demande Martin, quelle heure est-il ?

— Il n'y a pas d'heure, ici. Vous êtes sortis du monde du temps. Il n'y a plus de temps, le soleil peut se coucher, se lever tout de suite, puis se recoucher, vous pouvez déjeuner quatorze fois, tout ici se passe en un éclair, hors du temps, l'avantage c'est que vous ne vieillissez jamais !

— Peut-être mais le désavantage est que je ne suis pas présent à l'aéroport pour partir avec mon équipe vers la conquête de la Coupe de Cristal !

— Vous ne pouvez plus retournez à l'aéroport, dit Vladana. Quand vous m'avez suivie de l'autre côté du monde de cristal, vous avez été sauvés d'une mort certaine car les lézards et Rohman ne cherchent que le demi-temple. Ils ne veulent plus vous avoir entre eux et ces merveilles.

— Merci de nous avoir sauvés, Vladana !

— Merci surtout à Lydonie qui vous a invités ici où vous êtes protégés. Si vous allez ailleurs dans le monde de cristal, vous êtes considérés comme des ennemis.

— Pourquoi ? demande Béatrice, toujours prête à affronter tous les dangers.

— Parce que vous vivez sur la Terre et que vous êtes des mortels. Ils savent que beaucoup de gens vivant sur la Terre voudront ramener chez eux ces merveilles. Ils voudront s'approprier ces trésors. Ils voudront piller ce monde fantastique.

— Pas nous ! dit Béatrice.

— Certainement pas nous ! renchérit Nick.

— Moi aussi, j'ai dit cela, dit Marco. Je suis tout de même venu dans le monde de cristal et j'y ai subtilisé autrefois quelque chose qui ne m'appartenait pas !

— C'est vrai, papa ?

— Oui ! répond-il, penaud.

— Qu'est-ce que tu as volé ?

— La Coupe de Cristal, la véritable Coupe de Cristal. Celle qui donne tous les pouvoirs à celui qui la possède !

— Tu détiens la Coupe de Cristal ?

— Je l'ai remise à Vladana qui l'a ramenée en Égypte mais ici, je suis demeuré l'ennemi public numéro un ! Les habitants de ce monde croient que je travaille en secret pour le compte des hommes-lézards et de Rohman.

— ATTENTION ! crie Lydonie en les rejoigant.

Un homme-lézard arrive soudainement de nulle part. Il se précipite en direction de Martin. Il saute dans les airs par-dessus Vladana qui essaie de le protéger mais le lézard réussit à l'éviter et retombe à moins d'un mètre de Martin. L'homme-lézard ouvre sa gueule toute grande et lève très haut ses deux pattes au bout desquelles d'énormes griffes acérées s'abattent sur Martin pour le décapiter. L'homme-lézard a réussi à suivre le groupe dans ce monde de cristal. Ceci représente maintenant un grand danger.

Martin a comme réflexe ultime de sortir de son sac à dos son demi-temple qui ne réagit pas à l'attaque. Les griffes retombent sur Martin sans que Nick, Béatrice, Marco ou Vladana n'aient le temps de faire quoi que ce soit. Toutefois, l'homme-lézard fige à moins d'un centimètre de la tête de Martin.

Quatorze hommes à tête de cheval, portant une lance effilée, s'approchent et saisissent l'homme-lézard et l'éloignent du jeune garçon qui a ressenti la mort de très près. Un homme à la peau toute blanche, portant un chemisier et un cuissard rouge, brandit une épée qu'il portait à la ceinture et manifeste son autorité suprême en parlant tout de même d'une voix très douce.

— Martin Allart, Nick Migacht et Béatrice Aldroft, vous êtes convoqués au tribunal supérieur. Je suis le Prince Ara. Suivez-moi ! Je vous ai sauvé cette fois mais ce sera peut-être la dernière !

Martin tente bien de protester mais Vladana lui fait signe de se taire et de suivre le prince. Elle s'approche des trois amis et leur glisse à l'oreille :

— Soyez très vigilants car je ne peux plus rien pour vous, évitez à tout prix la prison du nord, restez toujours ensemble

— Vladana Loutchinski, dit le prince en la regardant droit dans les yeux ! Vous dépassez cette fois les bornes. Nous vous retournons immédiatement hors du monde de cristal. Vos visites ici sont interdites jusqu'à nouvel ordre et ramenez Baktoush Amar avec vous !

— Oui, prince Ara, dit Vladana en se prosternant et en entraînant Marc-Olivier avec elle.

Le prince Ara les salue. Sous leurs pieds, des pierres s'écroulent et libèrent un passage vers des escaliers. Vladana et Marc-Olivier, sans même saluer Nick, Martin et Béatrice, descendent à toute vitesse les trois cent cinquante marches qui les mènent dans une toute petite pièce de l'aéroport de Montréal.

Chapitre 6

Compte à rebours

Quinze minutes avant le départ du vol AS 1737, les policiers convoquent tous les parents des joueurs des White Wings dans une salle qu'ils ont réquisitionnée à l'aéroport. Cette salle est devenue le quartier général de la police. L'enquêteur principal a des nouvelles fraîches à transmettre.

— Madame Allart, je suis désolé de vous dire cela !

— Quoi ? Est-il arrivé quelque chose à Martin ?

— Peut-être, sans doute. Tout ce que je peux affirmer, c'est que nos policiers viennent de retrouver l'endroit où votre fils et son père se trouvaient hier soir. Il s'agit d'une maison qui a brûlé et l'incendie est criminel !

— Martin ?

— Nous n'en avons plus aucune trace, ni de Nick, ni de Béatrice. Ils ont disparus !

— Disparus ? le père de Béatrice est vraiment inquiet. Vous ne faites rien pour les retrouver ? Je ne laisserai pas faire cela. S'il le faut, je mettrai toute l'armée des États-Unis à sa chasse mais je ne l'abandonnerai pas.

— Je vous comprends, reprend respectueusement l'inspecteur, mais je dois vous dire que le vol AS 1737 partira vers l'Égypte dans sept minutes !

— Sans notre équipe à bord, complète monsieur Hamid. À partir de tout de suite, notre seule priorité est de retrouver Martin, Nick et Béatrice.

CHAPITRE 7

Les gardiens du temps

Le prince Ara guide les trois amis à travers des dizaines de portes et de couloirs qui semblent mener à des endroits parfois lugubres et parfois un peu plus joyeux. Au bout d'un couloir beaucoup plus étroit, il s'arrête devant une petite porte de pierre.

— Vous êtes présentement dans un monde étrange pour vous. Mais vous ne pouvez plus vous en sortir.

En disant cela, il les invite à le suivre en leur manifestant politesse, délicatesse et grand respect.

— Penchez la tête et faites attention de ne pas vous cogner. Ces pierres sont si dures que lorsqu'on les touche, elles nous transmettent une lourdeur qui, à la longue, nous empêche de bouger.

De l'autre côté de la porte, les trois amis débouchent sur un sentier d'à peine un mètre de large. De la brume empêche quiconque de voir à plus de dix ou vingt mètres. Un grand précipice bloque le passage.

— Voilà ! Nous sommes arrivés. Vous êtes au bout de tout. Vous devez, à partir d'ici, vous débrouiller par vous-mêmes.

— Est-ce qu'on peut sauter dans ce précipice ? Est-ce que l'on doit marcher vers la gauche ou vers la droite ? Quelle est notre destination ? Où sommes-nous ? À tour de rôle, les trois amis lancent des dizaines de questions qui n'obtiennent pour toute réponse qu'un long rire tout doux.

— Vous devez faire face à ceux qui protègent l'univers, aux gardiens du temps qui ne vous diront rien et surtout qui ne vous indiqueront jamais le chemin. Ici, le temps est arrêté. Ici, tout est plus solide que du fer. Ici, tout est éternel. Vous vous êtes aventurés dans un lieu qui ne vous appartient pas. Vous ne pouvez pas vous en sortir. Personne ne vous retrouvera jamais ! Adieu.

— Prince, dit Martin, je dois partir pour l'Égypte. Je dois aller gagner la Coupe de Cristal pour mon pays.

— Martin, vous ne comprenez pas que tout est perdu pour vous ?

— Nous pouvons toujours nous en sortir, toujours ! dit Nick, sûr de lui.

— J'ai pensé cela, moi aussi ! J'étais un prince jadis en Angleterre et j'allais devenir le roi de ce grand pays et puis, j'ai voulu conquérir le monde. J'ai réussi à posséder tout l'or du monde et j'en convoitais encore plus. Mais voyez maintenant que je suis devenu un simple messager qui accueille ceux qui s'aventurent trop loin !

— Mais où vivez-vous ?

— Nulle part ! Je me couche de l'autre côté du petit passage et j'attends pour faire traverser les nouveaux arrivants. Je vous donne un truc : n'attendez pas trop longtemps, ne cherchez pas à être plus fins que les gardiens du temps, soyez des esclaves et vous aurez de beaux habits pour toujours !

— Mais Vladana n'est-elle pas passée aussi par ici ?

— Non, Vladana est une rebelle. Elle a désobéi, elle est revenue de l'autre côté du cristal ; elle n'a plus le droit d'accès, ici !

— Prince Ara, dit Nick en plaçant sa main froide sur son épaule, je pense que vous avez tout faux. Vous croyez que la vie est éternelle, c'est ça ? Être un serviteur toujours et à jamais ?

— Laissez-moi !

Le prince Ara tente de se libérer mais la main de Nick le rend tout à coup plus nerveux.

— Mais, mais qu'est-ce que vous faites ici ? dit-il, soudain influencé par la main froide de Nick.

— Rien, nous voulons seulement retourner sur la Terre !

— Moi aussi ! dit le prince, mais cela m'effraie.

— Qu'est-ce qui vous fait peur ? demande Nick en gardant sa main sur l'épaule du messager.

— Chut, ils vont venir et m'enfermer, si je vous aide ! Attention !

Deux oiseaux immenses sortent du brouillard et essaient d'attraper le prince, Nick, Béatrice et Martin.

— Oh ! Non, je ne veux pas retourner là-bas ! crie le prince en direction des oiseaux, puis il court sur le petit sentier qui borde le précipice et disparaît dans la brume. Il réapparaît aussitôt en faisant signe de la main aux trois amis de le suivre.

Quatre hommes-chevaux, cinq oiseaux aux dents acérées ainsi que des bêtes rampantes tels des serpents géants arrivent de partout. Nick, Béatrice et Martin se sauvent dans la brume. À moins de vingt mètres d'une course fort dangereuse, car les pierres où ils déposent les pieds s'écroulent dans ce qui semble être un précipice très profond, le prince les attend sur un petit promontoire de bois qui s'avance vers le vide. En voyant trois oiseaux essayer de l'attraper, il saute dans le vide en faisant signe à Nick et ses amis de le suivre. Ce qu'ils font sans hésiter en voyant qu'une bête à trois yeux ressemblant un peu à un ours s'apprête à les déchiqueter. Au-delà du vide, le prince les aide à s'accrocher à des branches qui les retiennent d'une chute certaine. Ils se hissent sur la paroi rocheuse et grimpent, tous sains et saufs, sur d'autres pierres plates et horizontales.

— Suivez-moi vite ! Nous sommes présentement des hors-la loi. Il faut fuir ! dit le prince en cherchant un endroit où aller.

— Non, dit Nick, nous retournons sur la Terre.

— Personne ne nous laissera fuir ! dit le prince en s'engageant sur un sentier de pierres.

Sous leurs pieds, des centaines de petites bestioles semblables à des souris leur mordillent les orteils. Nick, pensant à l'urgence d'agir, arrête tout le monde.

— Bon, ça suffit ! Nous arrêtons de fuir, crie-t-il très fort, si des dangers se présentent, nous les affronterons, tout de suite. Nous n'avons pas de temps à perdre. Nous ne voulons plus fuir mais plutôt faire face à l'inconnu. Moi, je ne cours plus car je ne sais même pas ce que je fuis. Martin, Béatrice, faisons face à ces monstres. J'ai confiance en nous !

Le prince Ara s'arrête, se retourne vers eux, leur sourit et leur crie :

— Bravo Nick, cette étape qui te mène vers le monde éternel est tout simple au fond : il faut faire face, simplement faire face. Bravo ! Vous avez réussi. C'était aussi simple que cela, vous venez de relever ce défi. Il faut faire face, toujours faire face. Je vous laisse pour la suite !

Le prince saute dans le vide et s'accroche aux pattes d'un oiseau qui l'amène loin dans la brume. Les souris se sauvent puis le silence se dépose et la brume se dissipe. Un paysage à couper le souffle apparaît alors sous leurs yeux. Ils se trouvent au milieu d'une gorge, de deux immenses falaises bordées de deux sentiers de pierres qui surplombent un cours d'eau. Une échelle de corde est là, à deux pas. Plus bas, à près de deux cents mètres, ils peuvent apercevoir un canot rouge et des rames qui les attendent. Ils s'y rendent avec prudence, détachent le canot pneumatique et se laissent aller dans le courant qui les mène au bout de quelques minutes dans une petite baie de sable où, à leur grande surprise, des centaines de personnes les applaudissent et les accueillent.

— Bravo, bravo Nick, Martin et Béatrice. Vous avez réussi !

Des gens les invitent à leur table et leur offrent des plats frais de tout ce que l'on peut rêver de manger : du pain, des croissants, des fruits frais, des jus, des fromages à perte de vue. Avant de s'installer, Martin, impatient, grimpe sur la table et déclare très fort :

— Nous n'avons pas faim ! Nous cherchons la porte de sortie car nous voulons retrouver mon groupe, Vladana et mon père Marc-Olivier Allart. Nous voulons rentrer sur la Terre. Où sommes-nous ?

Une femme s'approche et, alors que tout le monde présent arrête de parler, elle prend la parole :

— Il est temps qu'on vous explique. Vous êtes perdus hors du temps. Pour ma part, je suis tombée en 1807 aux pieds d'un arbre et je me suis retrouvée ici. Je veux m'en sortir et me retrouver avec mes enfants !

— Mais cela fait plus de deux cents ans ! dit Martin.

— Mais non, mais non, dit la femme en essayant de le rassurer. Ici, le temps n'existe pas à ce que nous avons compris. Il faut franchir des étapes puis nous reposer. Il y a de tout, ici, des hôtels, des pentes de ski, des patinoires, des parcs d'attractions, des châteaux si vous voulez.

— Mais non, dit Martin, ne restez pas là. Vous êtes prisonniers ici. Il faut sortir.

— Allez, jeune homme, pas de panique, vous avez tout votre temps, je vous prépare un plat, vous voulez une omelette avec des morceaux de mangue ?

— NON. JE VEUX AVOIR LA CHANCE DE REMPORTER LA COUPE DE CRISTAL ! déclare Martin très fort.

Ses mots rebondissent en écho sur les rochers qui entourent la baie. Tout le monde arrête de manger et de festoyer. Un petit homme rondelet, portant de grosses lunettes et un bâton dix fois plus long que lui, saisit fermement Martin par le bras et l'entraîne vers une maison de pierre sculptée dans le roc. Martin voudrait bien résister mais ce tout petit homme est si fort qu'il se sent comme de la guenille. Nick et Béatrice, accompagnés de tous les gens qui laissent leur buffet, les suivent de très près dans un brouhaha indescriptible.

Un homme, au visage de lion (un sphinx) sort de la maison et s'assoit sur un trône de pierre. Tout le monde s'assoit en même temps que lui et un silence immédiat s'installe.

— Qui parle de la Coupe de Cristal ? dit le sphinx très calmement.

— Moi ! dit Martin

— La Coupe de Cristal n'appartient pas au monde des hommes. Elle est trop précieuse pour que vous la teniez entre vos mains. Chaque fois qu'un homme l'a remportée, il a voulu montrer sa gloire et rendre les autres hommes esclaves. Des guerres éclatent à tous moments pour les mêmes raisons. Vous êtes trop faibles pour posséder une telle énergie. La Coupe de Cristal sera bientôt détruite ! Les humains ne la méritent pas.

— Jamais Martin ne ferait ces folies s'il la gagnait ! dit Béatrice en s'approchant.

— Qui êtes-vous ? demande le sphinx.

— Je vous présente mon amie, Béatrice, dit Martin, et voici Nick. Ils veulent m'aider à remporter cette Coupe de Cristal.

— Vous êtes trop jeunes, trop humains, trop rêveurs. Cette coupe va vous brûler les doigts et le cœur. C'est non. Vous serez gardés prisonniers ici jusqu'à ce que vous prouviez votre bravoure et votre sérieux !

— Je n'ai pas le temps ; j'ai un avion à prendre ! Je m'en vais en Égypte !

— En Égypte, hein ? dit le sphinx.

Il réfléchit un moment puis se lève, s'étire et se met à souffler. Le vent qui émane de sa bouche repousse tous les gens présents devant lui jusqu'à la mer. Tous s'accrochent les uns aux autres pour ne pas périr dans les eaux et les vagues monstres que ce simple souffle provoque. Le sphinx se met à déclarer très fort :

— Je suis un des gardiens suprêmes du temps. Personne ne peut oser traverser dans ce monde de cristal et d'éternité sans avoir visité le temple d'Osiris. Vous êtes mes prisonniers pour toujours et à jamais ! Si vous protestez vous irez à la prison du nord.

Le sphinx s'apprête à lancer un autre souffle quand Martin sort de sa poche son demi-temple. Il le tient devant sa figure, bravant le vent qui continue à le repousser vers la mer. Les rayons verts sortent du demi-temple et atteignent les yeux du sphinx qui descend alors de son trône et s'approche de Martin.

— Qui t'a remis cela ?

— Mon père ! Je vais retrouver l'autre demi-temple et me rendre jusqu'au temple d'Osiris. Ensuite seulement, mon père me dit que je pourrai gagner la Coupe de Cristal, comprendre et partager son pouvoir avec tous.

— Si tu le mérites, cela se produira ! Tu as ta chance. Tu retournes en cet instant sur la Terre. Le temps pour toi reprendra son cours dans 3, 2 !

— Permettez aussi à mes amis, Nick et Béatrice de m'accompagner. J'ai besoin d'eux !

— 1 seconde, tu devras être brave ! Bonne chance, sinon adieu !

— Mais n'oubliez pas NICK et BÉATRICE !

Le petit homme saisit Martin avec son bâton et le précipite dans les airs. Le sphinx souffle et le vent qu'il provoque propulse Martin au-dessus de la mer. Il a juste le temps de lancer le demi-temple vers ses deux amis qui n'arrivent pas à l'attraper.

Tous les gens qui entourent le sphinx, Martin et Béatrice, sont projetés dans l'eau où des vagues d'au moins deux mètres les propulsent au large. Béatrice et Nick s'accrochent l'un à l'autre et réussissent au bout d'une longue lutte à s'étendre, exténués, sur un immense rocher au milieu d'une petite baie. Ils sont seuls. À deux pas d'eux sur le sable, le demi-temple gît là, sans émettre aucune lumière.

Le sphinx marche vers eux d'un pas décidé !

Chapitre 8

Départ pour l'Égypte

Martin reprend ses sens dans la salle des toilettes de l'aéroport Pierre-Elliott-Trudeau à Montréal. C'est Luc Gélinas qui le trouve là et le ramène au milieu de la cohue policière qui règne à l'aéroport. Vladana et Marc-Olivier retrouvent aussi leurs sens au même moment.

La compagnie aérienne décide alors de retarder le départ de ce vol de quarante-cinq minutes.

Le père de Béatrice ainsi que les parents de Nick sont furieux. Toutes les explications de Martin ne leur révèlent rien sur l'endroit où leurs enfants peuvent se trouver. Les policiers continuent les recherches. Vladana et Marc-Olivier savent bien qu'ils ne peuvent révéler l'existence du monde de cristal. Mais pour l'instant, ils n'ont plus accès à ces passages car ils ont introduit des mortels de ce côté ainsi qu'un homme-lézard qui, heureusement, a été attrapé et repoussé.

Les médias commentent déjà sur cet événement et le monde entier sait que deux enfants sont encore portés disparus.

Monsieur Hamid est catégorique. Si Nick et Béatrice ne sont pas retrouvés, jamais il n'amènera son équipe en Égypte ou à ce tournoi.

Le découragement est total quand tout à coup, sur le tarmac, Martin aperçoit Nick et Béatrice qui posent le pied.

— Regardez, ils sont là ! dit Martin. Ils descendent de l'avion ! Regardez !

Un mouvement de foule incroyable s'ensuit et tout le monde se précipite vers les deux derniers disparus, d'ailleurs maintenant retrouvés.

Nick et Béatrice s'excusent et disent qu'ils ont commis l'erreur d'aller visiter l'aéroport la veille avec Marc-Olivier et sans trop savoir comment, ils se sont perdus et se sont retrouvés à l'intérieur de l'avion. Tout le monde est si content de les retrouver que personne ne tient vraiment compte que leur histoire est difficilement crédible.

Nick, Béatrice et Vladana se placent un peu à l'écart quand, une demi-heure plus tard, le vol AS 1737 décolle enfin vers Le Caire avec à son bord, Martin, sa mère, son père et son équipe de football.

Les policiers n'y comprennent pas grand-chose mais continuent leur enquête qui tentera de trouver des pistes menant à Dennis Rohman.

Nick et Béatrice s'expliquent avec leurs parents :

— Pardonnez-nous. Nous voulions tellement accompagner Martin que nous avons commis des bêtises !

Monsieur Aldroft a été si bouleversé par tous ces derniers événements qu'il décide de changer ses plans et de partir de ce pas vers l'Égypte. Vladana, quant à elle, accompagnera Nick. Ils partent donc finalement sur un vol cédulé huit heures plus tard.

Le sphinx, gardien du temps, a fixé avec Nick et Béatrice un rendez-vous sous la sculpture géante à son effigie qui se trouve en Égypte. S'ils sont fidèles à leur engagement, il leur remettra là-bas le demi-temple qu'il transportera lui-même à destination ainsi Rohman n'y aura pas accès, pour l'instant

— C'est un objet qui appartient aux humains mais je le protégerai ainsi des pattes des hommes-lézards, leur a dit le sphinx avant de les ramener sur terre. En Égypte, je vous laisse deux semaines pour agir et retrouver l'autre demi-temple. Sinon, je tendrai des pièges et vous retomberez dans les couloirs du temps.

— Vous avez convaincu le sphinx lui-même de vous laisser revenir sur Terre ? demande Vladana, impressionnée.

— C'est Nick, dit Béatrice, quand il lui a serré la main avec sa main froide ! Le sphinx a souri et nous a dit : *Vous avez des chances mais, peu car des forces occultes très puissantes vous poursuivent et je ne parle pas seulement de Rohman !*

L'avion s'envole vers Le Caire. Martin, Béatrice et Nick ont maintenant rendez-vous avec Mohamed, Mahmoud et le sphinx lui-même. Qu'arrivera-t-il quand les deux demi-temples seront enfin réunis ? La route vers le temple d'Osiris et le mystère de la Coupe de Cristal s'ouvrira-t-elle ? À moins que Rohman et ses hommes-lézards ou d'autres forces occultes ne déjouent la poursuite des policiers et s'approprient une des plus grandes énergies de l'univers.

Nick, Béatrice et Martin vous donnent rendez-vous dans les prochaines aventures de Nick la main froide, épisode 11 : *Le temple d'Osiris*.

TABLE DES MATIÈRES